KB096300

추억 같은 일상 속의
색깔들

글향예술협회

구은희, 김량희, 나준모,
고연아, 사희언, 권도연,
김희정, 안해수, 김보선.

〈차 례〉

시집을 엮으며

안녕하세요
"글향 예술 협회" 대표이사 마리 주현숙입니다
같은 취미와 같은 뜻을 가진 이들이 모여 "글향 예술 협회"를 만들었고 그중 9인이 함께 그린 첫 시집 "추억 같은 일상 속의 색깔들"을 출간하게 되었습니다.

우린 각자 자기만의 색깔을 가지고 살아갑니다. 딱하나가 아닌 여러 가지 다양한 색깔을 말이죠. 어떤 날은 붉게, 어떤 날은 회색빛으로, 어떤 날은 눈부시도록 찬란한 색으로 시작합니다.

하루의 마무리 또한 어떤 색일지 알 수 없습니다.
그 수많은 색을 시에 담아 그렸습니다
아홉 개의 각기 다른 색깔들이 또 다른 어떤 색들로 어우러지는지 감상해 보세요

각각의 시 한편마다 뿜어져 나오는 삶의 향기 또한 맡아 보실 수 있기를 바랍니다

서툰 발걸음이지만 용기 내어 자기만의 색과 향기를 담아 작은 발자취를 남겨 봅니다.

시를 감상하시는 분들도 우리처럼 용기 내어 작은
발자취 남겨 보시길 추천드립니다
감사합니다

-마리 주현숙-

시 쓰는 것도 너무 좋아합니다.
하지만 시 코칭은 너무 어려웠습니다.
시를 코칭 하면서 내가 너무 부족하다는 것을 알았
습니다.

하지만 작가님들 덕분에 더 열심히 지도 할 수 있었
습니다. 서로서로 배우고 또 배우며 한 편 한 편씩
확인했습니다.
시의 세계로 모두 모두 인도하고 싶습니다

-제이 김미정-

일상을 시로 노래하는 이들은 아름답습니다. 일상을
들여다보면 그곳에 삶의 순간순간이 담겨 있기
때문입니다. 아름다운 시들로 마음이 풍만해지는
순간입니다. 시집 출간을 축하드립니다.

-리드 최영하-

작가의 말

정제되지 않은 언어로 풀어 놓은 나의 세계는 매우 수줍고 어설프지만 그 안에서 조금씩 익어가고 있는 자신을 발견함은 기쁨이었습니다.
작지만 큰 희망을 갖게하는 이 여정에 함께 한 모든 분들께 감사의 마음을 전합니다.

－구은희－

30일간에 시 쓰기를 통해 새로운 나를 만났습니다.
글쓰기 싫어했던 나에게 사춘기 시절의 감성들이 되살아나고 삶의 깊이가 성숙해지는 시간 이었습니다. 시를 통해 예전의 나를 만났고, 닿을 수 없는 곳에 나는 주인공이 되어 시를 쓰는 지금의 나를 보며 미래의 꿈도 꾸어 봅니다. 함께 나눌 수 있어 행복합니다.

－김량희－

30일 동안 설레는 시와의 만남이 내 안의 감성을 깨워 아름답게 변하게 했어요. 오늘도 시와 함께 예쁘게 나이를 먹는 꿈을 꾸며, 그 속에서 풍요로운 순간을 만끽하고 있습니다.

시 여정을 같이 했던 벗님들, 김미정 작가님 감사합니다.

－나준모－

30일 동안 하루에 1편의 시를 쓰는 것은 힘들 수 있습니다. 물론 안 힘들 수도 있지만, 초등생인 저는 학원, 학교 등등 시간이 잘 없어 매일 밤에 적어 올렸고 힘들어 그만두고 싶을 때도 나중을 생각하며 참아 이 결과가 나왔습니다. 그러니 초등학생분들도 계속 참고 노력하면 시인이 될 수 있다는 것입니다.

마지막으로 우리를 항상 응원해 주시고 칭찬해 주시는 김미정 작가님과 다른 작가분들께 감사의 말씀 올립니다.

－고연아－

어떤 우연의 인연으로의 만남을 통해서 생각지도
못한 시를 쓰게 되었다. 작품이라고 하기에는 심히
부끄럽지만 그냥 내 마음을 시를 통해 표현해
보았다

- 사희언 -

30일간 시 쓰기를 하면서 사물과 자연을 그냥 스쳐
지나지 않고 한 번 더 쳐다보며 잠시나마 생각을 할
수 있는 계기가 되어 더 할 수 없는 소중한 시간을
만들었던 것 같습니다
또 혼자였으면 해 보지도 못했을 시 쓰기를 여러 작
가님 덕분에 따라서 조금씩 흉내도 내 볼 수 있었던
게 아닌가 싶습니다. 너무도 감사드립니다
항상 여러 작가님들의 우레와 같은 칭찬과 응원에
즐겁게 할 수 있었던 것 같습니다. 감사합니다

- 권도연 -

우주의 작은 알갱이 같은 나이지만 생각이 그곳에
미치게 하고픈 맘이다. 오늘도 그러기에 시를 쓰며
행복 짓기에 열중한다.

- 김희정 -

타고난 운명을 아는 나이가 지천명이라고들 하는데 어느덧 이 나이가 되어있는 나를 보았다.
열심히 엄마로 아내로 딸로서 살아온 시간들을 되짚으며 이제는 온전히 "나"로 살아보기 위해 이 시를 쓰면서 나의 운명을 알아가 보려고 첫 발자국을 내디뎌 본다

-안해수-

그냥 '글 쓰고 싶다'는 생각을 하며 살다가 우연한 기회에 글쓰기를 시작하고 아주 소중한 열매를 맺었다.
그동안 긴 터널을 혼자 걸어가는 기분이었는데 '함께'라는 한 줄기 빛을 따라가다 보니 희망과 용기를 낼 수 있었다. 이제 나는 '홀로서기' 할 준비가 되었다.

-김보선-

1. 호수

높은 산과 하늘과 구름을
모두 품고도 넉넉한 호수

거센 비바람에 무섭게 일렁여도
의연한 호수

눈부신 햇살에
반짝반짝 미소 짓는
따스한 호수

잉어도 왜가리도 사람도 쉬어 가네

고단한 삶 속에서도
평온함을 잃지 않는

호수는
내 어머니의 따뜻한 품 같다.

호수는 내어머니의
따뜻한 품 같다

02 해바라기

벌집 같은 얼굴
버겁게 들고

충충이 캉캉치마
바람에 휘날리며

햇빛에 부서질 듯
그리움 불태우네

멀뚱히 선 채로
님을 향해 보내는
사모의 눈길

그리움도 산 넘어가면
맥없이 고개 숙여
슬픈 마음 감추네

첫빛에
부서질듯
그리운
불태우네

ⓒSmile GIRL

3. 겨울나무

차가운 하늘에 앙상한 팔 높이 들고
바람을 견디며 묵묵히 섰네

겨울이 깊어지면 외로움도 깊어져
눈꽃을 피워 멋을 내 보네

순정 같은 꽃씨 가슴에 품고
온 마음을 다해 겨울을 견디는

너는

얼마나 견뎌야 꽃을 피울지
이미 알고 있구나

4. 힘내라, 봄

흐린 하늘, 가랑비 추적추적
안개 짙은 산, 바람이 차다

서둘러 꽃순 내민 매화랑 산수유가
찬바람 맞으며 파르르 떠네

힘내라, 봄
짧은 햇살, 긴 바람 견디며 오는 봄

차가운 비 자양분 삼아
힘차게 피어나라

단단하게 뿌리내려
마음껏 꽃피어라

5. 석양을 바라보다

하루가 힘겨워도
남은 열정 힘껏 쏟아내는
붉은 네 뒷모습

하늘도 바다도 못 이겨
너를 품어 버렸네
황홀한 치마폭

어느 뒷모습이 이보다
아름다울 수 있을까

나의 석양도 너처럼
고울 수 있을까

오늘도 내 가슴을 너로
붉게 물들여 본다

6. 목련

목련꽃 봉오리 살이 차오르면
설레임도 가득 차
떨리는 마음

목련꽃 봉오리 뽀얀 속살 내보이면
봄 햇살에 빛나는
눈부신 청춘

목련꽃 봉오리 여기저기서 터지면
떨어지는 꽃잎 따라 서둘러 돌아선
애련한 나의 봄

아, 아름다운 봄날은 이리도 짧고
다시 올 봄은
긴 기다림을 부르는구나.

7. 시를 쓰며

시를 쓰며
추억에 잠긴다
모든 기억이 아름답게 그려진다

시를 쓰며
주위를 본다
하늘과 바람과 나무와 호흡해 본다

시를 쓰며
나를 본다
내 안에 꿈꾸는 나를 발견한다

시를 쓰며
희망을 그린다
시어를 고민하며
그렇게 친구가 되어간다

8. 정동길에서

덕수궁 돌담길
푸른 나뭇가지 사이로 쏟아지는
오월의 햇살
사람들의 여유로운 미소

따스한 돌담 아래
보사노바를 멋지게 연주하는 밴드
발걸음을 멈춘다
행운을 만난 듯

정동길에서 마주한
햇살이 부서지는 벽돌 건물과
운치 있는 마당의 벤치
그 안온함 이란..

시간과 공간이 완벽하게 만나는
이 순간을
떨리는 가슴에 살포시 담는다.

9. 벚꽃 기다림

고목나무 끝에
설레임이 앉았어요.

따스한 햇살 받으며
화사하게 피어나겠죠.

벚꽃이 만개하면
꽃비 맞으러 가요.

꽃향기 맡으며
춤추러 가요.

10. 엄마의 소리

콩콩콩
마늘 찧는 소리
탕탕탕
호박 써는 소리
아침을 깨우는
그리운 엄마의 소리

탁탁탁
감자 써는 소리
지글지글
생선 굽는 소리
우리집 아침을 여는
요란한 소리

이제 나의 아이들도
아침이면 나의 소리를
기억할까

11. 손금(제라늄)

쪼글쪼글 주름진 손
수줍게 내밀면
너의 온 세상이 빛이 난다

풋풋한 손아귀
힘차게 펼치면
너의 운명이 나타난다

너의 모양
너의 색깔
너의 향기가
그 손금에 담겨 있으니

너의 손은
너의 우주로 구나

12. 머니

깜짝이야 에구머니
쌓아야지 해피머니
충전해야지 티머니
필요하잖아 돈주머니
사랑해요. 어머니

13. 손끝으로 전해오는 사랑 이야기

나의 차가운 손, 선뜻 내밀지 못한 손
나의 손을 잡다 찡그리던 미소들이
당신을 만난 그날
손잡지 못하고 애타는 팔짱만 바라보았네

어느 날,
나의 손끝이 당신의 낯선 손끝으로
전해오는 따스함이
차가운 나의 마음을 녹입니다.

사르르 녹이는 따스한 온기는
당신을 향한 따스한 사랑으로 전해오고
당신의 손끝으로 전해오는
그 사랑에 나의 두 손을 맡겨봅니다.

14. 나는 듣지 못합니다. 그러나 당신을 듣습니다

당신과 나 사이에
특별한 이야기가 있습니다
당신의 표정으로 당신의 손짓으로
당신의 입 모양으로 당신의 마음을 읽습니다

나는 듣지 못합니다
나의 목소리도 당신의 목소리도
듣지 못해도 당신의 글 속에서
당신을 듣습니다
때로는 답답함이 찾아올 수가 있지만
그럼에도 불구하고
살아가는데 별일 없습니다
삶은 어디에나 같습니다
당신과 나
우리가 사용하는 언어가 달라도
서로가 사랑한다는 건
말로 표현하지 않아도
제가 듣지 못해도
당신의 마음과 눈빛으로부터
사랑을 느낄 수 있습니다

15. 별빛의 서곡

별빛이 흩어진 밤하늘은
눈부시진 않지만
밤하늘의 별들은
이야기로 가득합니다. 생각의 별, 사랑의 별
고민의 별이 빛나고
삶의 고백들이 가득한 별들로
밤하늘에 뿌려놓습니다.

사랑의 큐피드가
별똥별을 쏘면
수많은 은하수가
노래를 부르며 축복합니다.

서로 축복의 통로가 되어
밤하늘의 길을 밝혀줍니다.
별들이 펼치는 밤하늘의 서곡
그 속에서 우리는 꿈꾸고 사랑합니다.

별빛의 곡

별빛이
흘러지는
밤하늘
눈부신 햇살아도
밤하늘의
별들은
이야기로
가득하니

지난 날 성일 씀

16. 하늘 풍경

하늘이 뿌려놓은 구름 조각은
뭉게뭉게 흰 구름 만들고
바람이 안녕
인사하며 스쳐 지나가면

몽글몽글 구름은 눈꽃처럼 날아
어느새 저쪽으로
토끼 구름 만들어 놓았네

내리쬐는 태양의 햇살이
토끼 구름 이뻐하니
샘난 바람이 그새를 못 참고
산 중턱에 구름 기둥 걸쳐 놓았네

구름 속에 유유자적 날아가는 철새는
태양과 구름과 바람의 친구가 되어
함께 고향으로 향해 간다네

하늘이 뿌려놓은
구름조각을
옹께뭉쳐
흰구름
안고

ⓒ Ryani

17. 내 고향 밤하늘

빛이 아주 적은 깜깜한 내 고향 밤 풍경은 수없이
쏟아지는 밤하늘에 별들이 화려한 도시를 만든다

숨소리 하나 들리지 않고 꽁꽁 언 겨울 세상에 별만
가득가득 연주를 한다

어린 시절 칠흑 같던 밤길도 별들이 친구가 되어 함
께 걸어 무섭지 않았는데

나이 들어 지금은 지친 나를 쉬게 해주는 오래된
친구처럼 나를 안겨 준다

12월의 차가운 겨울밤도 너와 함께라서 따뜻하구나

18. 시를 짓다

배워서 기쁘고 함께하니 즐거운 시 벗님들 오늘도
저의 잠자는 감정들을 일깨워 주시니 감사합니다

하루를 여는 창작시로
길을 가면서도 소소한 것 하나하나 눈에 담으며
시와 연결고리를 만드는 행복한 일상이네요

덮어 두었던 시집과 에세이집을 꺼내어
짧은 지식에 지혜의 깊이를 얹어 봅니다

시로 물드는 내 마음속 그림들이 예쁘게 피어나기를
오늘도 나는 소망합니다

19. 내 목소리

나와 한 몸인데
왜 이렇게 어색한 걸까
늘 함께 했는데 오늘 귓가에서 낯선 이의 목소리를
듣고 있었다

눈 감고 너를 귀에 담아 본다
기쁜 날에도 우울한 날에도 너를 꺼내 함께 해본다

풋풋했던 시절에 고운
목소리보다 세월에 익어 온
지금 목소리를 좋아한다

훗날 지금에 나를 떠올리며
낭랑하게 시 한편 낭독해 저장한다

20. 엄마의 행복한 산책

유월 초여름 엄마에 예쁜 산책은 꽃들과 꿀벌들이
함께 한다

엄마는 손녀딸이 사준 꽃분홍 티셔츠를 입으시고 수
줍은 소녀처럼 웃으시며

걸어서 십분 거리의 둘째 딸 공방으로 행복한 마실
을 나가신다

가는 길에 만나는 대추 꽃 유채꽃 민들레 꽃과 길동
무 되어

꽃처럼 웃으시는 엄마의 행복한 유월 산책길

21. 냉이

집안 가득 퍼지는 구수한 냉이 된장찌개에 묻어나는
그리움

한 겨울 속 봄 내음 가득 안고
나는 어느샌가 3월의 봄날로 향해 간다

겨우내 추위를 이겨내고 움튼 냉이가
나를 반겨 주고

봄바람 타고 햇살 퍼지는 앞 밭에는 엄마의 추억도
함께 한다.

봄 바람 타고
햇살 퍼지는
앞밭에는
엄마의
추억도
함께 멈춘다

ⒸJinimo ♥

22. 봄소식

띵동~
택배가 봄을 가득 안고 왔어요

씀바귀 냉이 꽁꽁 싸맨
들기름 엄마의 사랑이 봄을 타고 왔어요

팔순 엄마의 따뜻한 봄소식에
감기도 무서워 달아나네요

살랑살랑 바람에 3월의
포근한 고향 냄새도 같이 왔어요

오늘 저녁 식탁에는
봄을 차려 가득 담아
봅니다

23. 커피

이른 새벽 향기에
젖어 내리는 그리움 한 방울

쪼르륵 행복 한 방울
쪼르륵 행복 두 방울

너의 향기와 함께 달콤함으로
물드는 시간

설렘으로 열어주는
나의 하루 속에 오늘도
감사 한 스푼 넣어 마시겠습니다

24. 겨울산

1월의 겨울 매서운 산 바람을
녹이는 맑은 계곡물소리

귀가 눈이 가슴이 그리고
추위에 굳은 몸이 스르르 풀려 버린다

겨울 산행에서 만난 파란 하늘빛을
가슴에 담고 잠시 명상에 잠겨 본다

시린 볼과 코끝을 겨울 햇살로
녹이며 산에서 만나는 작은 여유가 감사하다

내려오는 길 산사에서 들리는 종소리에 깊게
호흡하며 바람과 하나가 되어 본다

한결 가벼워진 발걸음이 감사고 기쁨이다.

25. 선물

이 커다란 우주라는 공간
안에서 딸과 엄마라는 소중한
인연으로 맺은 너는

편하게 기댈 수 있는
친구처럼 나를
다독여 주며 언제나 큰
울림을 준다

엄마는 너라는 귀한 선물로
늘 감사와 행복인데

너라는 선물은 또 다른
선물을 자꾸만 주려고
하는구나

선물이 선물로 오니
하루하루가 행복이고
감동이다

26. 책을 읽는다는 것

책을 읽는다는 것은 어둠 속의 빛이며
그 빛으로 또 다른 책을 읽을 수 있는 아주 좋은 것
이다.
또한 흉년 중에 풍년이며 국영수 보다 더 깨달음이
많은 지혜의 물건이다.
종이 한 장에 다섯 가지의 지식이 있으며
우울한 날에 얼굴에 웃음꽃이 피는 물건이다.
그러므로 책을 읽는다는 것은 지혜를 쌓는 것이다.

27. 인절미

조심조심 봉지에 싸서
먹으려다 그만 툭
떨어뜨리고 만다
땅바닥에 둥그러니 있는 인절미
개미 나라에 인절미 눈이 내렸다.

28. 그림

그림 숙제가 있는데 풍경화 그리기라
나무 한 그루 그리고
새는 외롭지 말라고 두 마리 그리고
구름은 뭉쳐 다니라고 세 개 그리고
꽃은 꽃가루 옮기라고 벌도 같이 그린 다음
쓱쓱 칠하면
예쁜 풍경화가 뚝딱! 완성된다.

29. 비

구름이 친구랑 싸웠나?
계속 구름이 울어
아니면 선물을 받았나?
계속 구름이 울어
엄마한테 혼난 건가?
계속 구름이 울어

그러다 뚝!
울음을 멈추자 해님이
삐죽 튀어나와

비

고연아

구름이 친구랑 싸웠나?
계속 구름이 울어
아니면 선물을 받았나?
계속 구름이 울어
엄마한테 혼난건가?
계속 구름이 울어

그러다 뚝!
울음을
멈추자 햇님이
삐죽 튀어나와

30. 목욕

거품이 뽀글뽀글
돌돌 뭉쳐서
오리도 만들고
수염도 만들고
모자도 만들고
목욕하는 만큼은
나도 거품 마법사
거품으로 무엇이든 만든다

목욕

고연아

거품이 뽀글뽀글
돌돌 뭉쳐서
오리도 만들고
수염도 만들고
모자도 만들고
목욕하는 만큼은
나도 거품 마법사
거품으로 무엇이든 만든다

31. 겨울 풍경

얼음처럼 차갑게 다가오는 겨울 풍경
내 마음에도 차갑게 들어오는 겨울 풍경
그래도 이 겨울이 나는 참 좋다

32. 커피

겨울 창밖을 바라보며
마시는 따뜻한 커피 한 잔
한 모금 마시면
온몸에 퍼지는 따뜻함과 쌉쌀한 향기
인생 뭐 있나?
이렇게 커피 한 잔으로
몽글몽글 해지는 내 마음
행복한 내 마음

33. 하얀 눈

나뭇가지에 흰 꽃송이를 피운 하얀 눈
아름다운 설경이 이리도 마음 설레게 하는데
언제 이런 설경을 보았는지 기억이 까마득하네
올겨울에는 이런 하얀 눈 보러 가 볼까?
생각만으로도 행복해지는 마음

34. 봄

빛나는 햇살과 프리지어 꽃향기 가득한
그런 봄이 기다려지는 오늘
내 마음이 겨울이라 더 기다려진다
오고야 말겠지 그 봄이

프리지어 꽃향기
가득한 그런
봄이 기다려지는 오늘
-봄-
사라입서기

35. 사랑

언제나 이 자리에 있을게
흔들리는 비바람이 와도 넘어지지 않을게
지치고 힘들 때 기댈 수 있게
언제나 이 자리에 있을게

36. 전깃줄

지져 귀는 새들이
여기저기 돌아다니다 내려앉은
선에 쉴 수 있는
휴게소 같은 선

늘어진 덩굴줄기들이
서로 만날 수 있게 연결해 주는
징검 다리 같은 선

사람들이 여기저기서 수화기를 들면
서로 반가움을 전해 주는
큐핏트 화살 같은 선

나에게도 좋은 소식 전해주는
행운의 선이 되어다오..

37. 추억

먼지가 소복이 쌓여
구석에서 외로이
나의 손길을
기다리고 있던 앨범
후~
먼지가 날리며
쫑알쫑알 옛 추억들이 말을 건넨다.
한 장 두 장
넘겨지는 아름다운 추억들..
날 얼마나 기다렸는지
함박웃음을 한가득 뿌려 주네..

38. 커피

은은하게 퍼지는
너의 향기
맡을 때마다
늘 설레임에
기대감이 커지고
늘 입가에
미소 짓게 해 주는 너
오늘도 난 너에게
여지없이
푹 빠져든다.

39. 기록장

가만히 종이를 들여다 보다
기억을 더듬어 본다
하루를 적어 내려간다

어느덧 기록장이 분신이 되었네
나의 머릿속 기억보다
나의 기록장이 기억해 주네
아~
또 한 해가 지고 있음에
내 책꽂이 한 곳에
기록장 하나가 더 늘어간다

40. 오십 대

50. 숫자다
내가 살아 낸 숫자다
내가 익어 온 숫자다
감칠맛이 솔솔 나는 숫자다
내 이마에, 눈가에 주름이 보이는 숫자다
머리카락 사이 흰머리가 보이는 숫자다
참 잘 지내 왔지, 토닥토닥,
60의 숫자를 기대해 본다

41. 우리 그랬지

길을 가다 전화박스가 보이면
너의 목소리 듣고 싶어서 수화기를 들었지
동전 떨어지는 소리는
빨라지는 말소리에 심장 뛰는 소리가
함께 들렸지
그러다 삐~삐 소리와 함께 깜빡깜빡
동전이 없어 끊어지고
다 하지 못한 말을 머금고
뒤돌아설 때 도 있었지
우리 그때 그랬지

우리
그랬
지

길을가다
전화박스가
보이면 너의 목소리
듣고싶어
어쩌면 들었지
수화기를 들었지

42. Park1

내가 처음 너를 만났을 때
호감 가지 않고 낯설고 어색했어

하루하루 너를 알아가기 시작했지
단순해 보이고 약해 보이는 넌
날 당황케 했어
감히 너랑 함께 마주하기는
내가 너무 작게 느껴졌지
어? 뭐지?

이렇게 매일매일 널 만났고
난 묘한 너의 매력에
푸~~욱 빠지게 되었어

지금은 널 단 하루도 생각하지
않을 수가 없단다
그런 넌 나의 절친이야

43. Park2

오늘도 이른 새벽부터 그를 만나기 위해 움직인다
영하의 추운 날씨에도 주섬주섬 옷을 챙겨 입고
거뜬히 발걸음을 재촉한다

안녕!
가볍게 인사하고 점점 익숙해져 가는 모습으로
그대를 맞이한다
평범해 보이지만 매력 있고
단순해 보이지만 생각하게 하는 묘한 성질을
가졌다
알면 알수록 어렵다
대회를 앞둔 오늘도 그를 만나 행복했다
노을이 질 무렵 내일을 약속하며 돌아온다

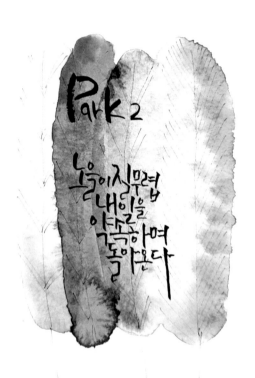

Park 2

노을이 질 무렵
내일을
약속하며
돌아온다

44. 파도

멀리서 달려오니
하얀 이를 보이며
기다린 듯 마중 나가 포옹한다

기쁨도 잠시
또다시 커다란 등을 보이며
멀리멀리
가려 하네....

45. 기다림

둘이 차를 마시며 대화했던 cafe는 쓸쓸하다
산책하며 거닐던 공원의 벤치 퇴색되고
함께 먹었던 익숙한 맛의 음식은 쓰디쓰다
혼자서는 의미 없는 일이 되어버린 일상이다

붉게 물든 하늘이 움직인다
서서히 산자락에 숨어버린다
두리번두리번 목을 길게 빼고
오늘도 오지 않는 그 사람을 기다린다

46. 고드름

처마에 걸어놓은 하얀 지팡이
앞마당 지붕 끝자락에
주렁주렁 막대사탕

나란히 나란히 젓가락 행렬
엿치기하던 어린 시절
엿가락 같다

몹시도 추운 겨울날
그토록 그립 던
추억을 만났다

47. 시계

동그란 세상 안에서
한치의 틈도 없이
째깍째깍...

긴바늘과 작은 바늘이
앞서거니 뒤서거니
부지런도 하네

세상 사람들에게
공평하게 알려주네
하루가 이렇게
지나가고 있음을..

힘들지도 않을까
저 시곗바늘은
늘 그 자리에서
똑같은 모양으로
돌고 도는 일상이...

48. 여행 가방

기쁜 마음으로 짐을 싸고 지친 몸으로 짐을 푸네
덕지덕지 붙은 스티커는 나의 추억을 말해주네

기쁜 마음으로 너를 다시 데려갈 날을 기다리며 조
용히 방구석에 서 있네

어서어서 나를 데려가 달라고 소리치고 있네

49. 바다

이른 새벽 붉게 물든 여명 속에서
힘차게 솟아오르는
태양을 품은 바다여

때로는 엄마의 따스한 품처럼
때로는 성난 사자의 포효처럼
시시각각 변화 무쌍한 모습의 바다여

모든 사람의 사연을 가슴에 묻고
고요히 오늘을 살아가는 바다여

나도 너처럼 담대하게 살아가고 싶다

50. 꽃

언제 피었는지
언제 저물었는지
아무도 모르게 피고 지는 들꽃

조용히 세상에 왔음을 알리고
조용히 세상을 떠나감을 알리네
홀로 피었다 지는 외로운 들꽃에

지나가는 바람이 인사하고
따스한 햇살이 반겨주고
부지런한 벌들만이 찾아오네

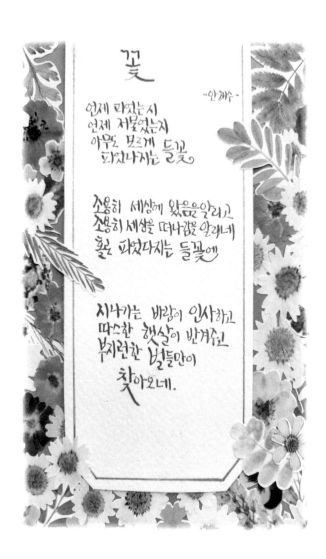

꽃

-안해수-

언제 피었는지
언제 저물었는지
아무도 모르게 들꽃
피었다지는 들꽃

조용히 세상에 왔음을 알리고
조용히 세상을 떠나감을 알리네
홀로 피었다지는 들꽃엔

지나가는 바람이 인사하고
따스한 햇살이 반겨주고
부지런한 벌들만이
찾아오네.

51. 일요일

앞으로도 읽어도 일요일
거꾸로 읽어도 일요일
너무 재미있고 멋진 요일

앞, 뒤가 똑같은 귀여운 요일
부지런히 일한 한주의 보상
내일의 나를 위한 휴식
너무 고마운 요일

따스한 햇살이 나를 위해 비추는 듯하다가
아름다운 노을이 지기 시작하면
흐르는 시간이 못내 아쉬운 요일

내일의 새로운 희망을 꿈꾸며
새로운 시작을 노래하는 요일

52. 관계

'관계'란 어떤 것일까?

살아가는 모든 것이 관계
가족, 학교, 사회
결국 '인간관계'

혼자 살 수 없기에
관계를 맺고 있다

좋은 관계도 있지만
얽히고 싶지 않은 관계도 있다

필요에 의해 어쩔 수 없이
관계를 유지해야 하는 게 너무 싫다

불편한 관계를 유지해야 하는지
질문해 보지만 답은 미지수

혼자 살아갈 수 없으니
불편을 감수해야 한다

53. 하늘

기분 좋은 날에는 파란색
구름도 새하얗고 예쁘다

조금 우울한 날에는 연한 회색
구름도 뿌옇게 변한다

화가 많은 날에는 짙은 회색
구름도 시커멓고 무섭다

내 마음은 하늘

하루에도 여러 번 변하지만
언제나 파란색이고 싶다

오늘은 어떤 색일까?

54. 사랑나무

나무 한 그루

무심한 듯 우두커니 서 있지만
좋거나 슬프거나 화날 때
언제나 힘이 되어주는 나무

대답 없이 서 있기만 해서
답답할 때도 있지만

침묵의 울림이 때론
좋은 답이 되기도 한다

기댈 수 있고
잠시 쉬어갈 수도 있고
보고 있기만 해도
위로가 되는
나의 커다란
사랑나무

55. 사랑

손에 닿으면
스르르 녹아내리는
눈처럼

잡으려 하면
달아나 버리고

오지 마라 하면
자꾸 따라오고

사랑은
마음대로 되지 않는 것

구름 한 점 없는 파란 하늘
먹구름 잔뜩 낀 흐린 하늘

이슬비가 내리고
소나기가 내리고
장대가 쏟아지다
천둥번개가 내리치는

사랑은 변덕스러운 날씨 같다

56. 모래

손가락 사이로 흘러내린다

쌓으면 곧 무너져 내린다

바람이 세차게 불면 흩날린다

내 마음

모래알처럼 무너져 내릴까 봐

조심조심 붙잡고 있다

57. 거울

익숙한 듯
어색한 듯

흐트러진 모습

어느 순간
변해가고 있다

이런 모습을
원한 건 아니었는데

있는 그대로
비추고 있을 뿐이다

이제는
웃는 얼굴이
보고 싶다

58. 기억

하나, 둘, 세엣....
별을 세어보다

그만

숫자를 까먹는다

어디까지
세었는지
기억이 안 나는 건
숫자뿐일까?

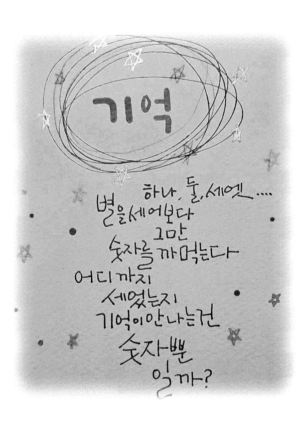

기억

하나, 둘, 세엣.....
별을 세어보다
그만
숫자를 까먹는다
어디까지
세었는지
기억이 안 나는건
숫자뿐
일까?

추억 같은 일상 속의 색깔들

발   행 | 2024년 04월 30일
저   자 | 구은희,김량희,나준모,고연아,사희언,권도연,김희정,안해수,김보선
그   림 | 구은희,김량희,나준모,고연아,사희언,권도연,김희정,안해수,김보선
펴낸이 | 한건희
펴낸곳 | 주식회사 부크크
출판사등록 | 2014.07.15.(제2014-16호)
주   소 | 서울특별시 금천구 가산디지털1로 119 SK트윈타워 A동 305호
전   화 | 1670-8316
이메일 | info@bookk.co.kr

ISBN | 979-11-410-8326-7